Y DERYN DU

BOB EYNON

DREF WEN

I Meurig a Susan Hughes

Argraffiad cyntaf 2003
© y testun Bob Eynon 2003

Cyhoeddwyd gan Wasg y Dref Wen,
28 Ffordd yr Eglwys, Yr Eglwys Newydd,
Caerdydd CF14 2EA
Ffôn 029 20617860.

Argraffwyd ym Mhrydain.

1.

Wrth gwrs, roedd Bopa Siân yn gwybod bron popeth am y teulu newydd oedd wedi symud i mewn i'r tŷ mawr ar ben y stryd.

"Saeson ydyn nhw, o Wlad yr Haf," meddai hi wrth ei chymdogion Gareth a Julie Evans. "Rheolwr newydd y ffatri ddillad yn Nhref Alaw ydy'r gŵr. Mae mab deng mlwydd oed gyda nhw."

"O, tua'r un oedran â Thomas a Jessica," sylwodd Julie Evans. "Fe gafodd Thomas ei eni ym mis Medi, 1940, a Jessica ym mis Awst, 1941."

"Felly fe fydd y bachgen newydd yn yr un dosbarth â nhw yn yr ysgol," meddai Gareth.

Roedd y ddwy wraig yn sefyll wrth fwrdd y gegin yn yfed te, ond roedd Gareth yn eistedd mewn hen gadair freichiau wrth y tân, yn darllen cylchgrawn beic modur.

"O, rwyt ti'n anobeithiol, Gareth," meddai Julie wrtho fe. "Wyt ti ddim yn gwybod bod Jessica a Thomas mewn dosbarthiadau gwahanol yn yr un flwyddyn yn yr ysgol?"

Estynnodd ei gŵr am ei becyn o Woodbines a gwenu fel plentyn.

"Rocddwn i'n tynnu dy goes di, cariad," meddai. "Os bydd y bachgen newydd yn glyfar, fe fydd e yn yr un dosbarth â Jessica. Yn anffodus, mae Tom yn dwp fel fi!"

Ochneidiodd Julie a throdd at Bopa Siân.

"Dydy Thomas ddim yn dwp o gwbl," esboniodd hi. "Ond dydy e ddim yn hoffi astudio. Fydd e ddim yn sefyll yr arholiad yr haf nesaf. Dydy e ddim eisiau mynd i'r ysgol ramadeg yn Nhref Alaw. Fe fydd e'n hapusach yn yr ysgol uwchradd fodern yma yn y pentref. Mae e'n breuddwydio am yrru lorri'r Cyngor fel ei dad."

"Pam lai?" atebodd Bopa Siân. "Gyda llaw, ydych chi wedi gweld car y bobl newydd? Rover ydy e. Ac maen nhw wedi talu ffortiwn am y tŷ mawr, siŵr o fod. Maen nhw'n gwneud yn dda, on'd ydyn nhw?"

Nodiodd Julie Evans ei phen. Doedd neb arall yn byw mewn tŷ ar wahân yn y stryd, a doedd neb arall yn gallu fforddio car, chwaith. Meddyliodd hi am yr hen feic a seicar yn y sièd y tu ôl i'w tŷ nhw, ond ddywedodd hi ddim gair. Roedd tri phlentyn hyfryd gyda hi, gan gynnwys y baban, Rebecca, a doedd Julie ddim yn eiddigeddus o neb.

2.

"Gysgaist ti'n dda neithiwr?" gofynnodd Shirley Kelland i'w mab wrth iddyn nhw fwyta brecwast ar fore cyntaf Nick yn ei ysgol newydd.

"Naddo, Mam," atebodd e'n onest. "Roeddwn i'n clywed sŵn y pwll glo, y trenau a'r dramiau trwy'r nos."

"Rwy'n gwybod," cytunodd ei fam. "Ac mae'r tywydd yn rhy boeth i gau'r ffenestri."

"Roedd y pentref yng Ngwlad yr Haf mor dawel," meddai Nick. "Roedd yr adar yn arfer canu yn y bore, ond yma mae seiren y pwll glo yn codi ofn arnyn nhw, siŵr o fod."

"Dydyn ni ddim wedi cael digon o amser i setlo i mewn eto," sylwodd Shirley. "Mae popeth wedi digwydd yn rhy gyflym. Roedd rhaid i dy dad ddechrau yn ei swydd newydd cyn gynted â phosibl. Doedd e ddim yn gallu gwrthod y cyfle i fod yn rheolwr ffatri, felly dyma ni!"

Edrychodd Nick drwy'r ffenestr ar y mynydd moel a'r tipiau glo du, a meddyliodd e am yr hen bentref a'i goed gwyrdd a'i nant fach glir.

"Wyt ti eisiau i fi fynd â ti i'r ysgol y bore 'ma, Nick?" gofynnodd ei fam.

"Nac ydw," atebodd y bachgen yn gyflym. "Mae digon 'da ti i'w wneud yma. Ond cofia beth ddywedodd Dad neithiwr. Paid â symud dim byd trwm ar dy ben dy hunan."

Aeth Shirley mor bell â'r drws ffrynt gyda fe. Gwelodd hi fod dafad wedi dod i mewn i'r ardd trwy'r glwyd agored. Roedd y ddafad yn chwilio am lysiau yn y bin lludw.

"O, gyrra hi allan, Nick," dywedodd ei fam. "Neu fe fydd sbwriel ar hyd y lle ym mhobman. Rwy'n mynd i gau'r drws rhag ofn y bydd hi'n ceisio dod i mewn i'r tŷ."

Cerddodd y bachgen yn araf at yr anifail gan guro ei ddwylo. Symudodd y ddafad ddim; roedd y llysiau'n rhy flasus. Yna, ymddangosodd bachgen wrth y glwyd. Bachgen cryf a chadarn oedd e.

"Wyt ti eisiau help?" gofynnodd e, a nodiodd Nick ei ben.

Pan welodd y ddafad fod yr ail fachgen yn benderfynol iawn rhedodd hi'n syth allan i'r stryd gan gwyno'n swnllyd.

"Diolch," meddai Nick wrth y bachgen. "Pam mae

pobl Blaencwm yn gadael i ddefaid fyw ar y strydoedd?"

"Pam lai?" atebodd y bachgen. "O leiaf mae'r defaid yn perthyn yma. Chawson nhw ddim eu geni yn Lloegr fel ti!"

Aeth wyneb Nick yn goch.

"Ches i ddim fy ngeni yn Lloegr, chwaith," atebodd e. "Fe ges i fy ngeni yng Nghymru oherwydd y Blitz, ond wedyn roedd rhaid i ni symud i Wlad yr Haf ar ôl y rhyfel."

"Wel, dwyt ti ddim yn swnio fel Cymro o gwbl," meddai'r bachgen. "Beth ydy dy enw di?"

"Nick. A tithau?"

"Tom." Trodd y bachgen a mynd allan trwy'r glwyd.

"Wyt ti'n mynd i'r ysgol?" gofynnodd Nick.

"Ydw, ond rwy'n mynd i aros am fy ffrindiau wrth y gornel. Dydyn ni ddim yn hoffi cyrraedd yr ysgol cyn naw o'r gloch."

"O …" Doedd Nick ddim eisiau cyrraedd yr ysgol yn hwyr ar ei ddiwrnod cyntaf. "Wel hwyl, Tom. Tan y tro nesaf, efallai."

Cerddodd e i lawr y stryd a throi i'r dde wrth y Blaencwm Arms. Roedd grwpiau o blant ym mhobman, ac roedden nhw i gyd ar eu ffordd i'r ysgol gynradd ar ben arall y teras hir. Doedd dim perygl, felly, i Nick golli ei ffordd. Cyrhaeddodd e'r ysgol am ddeng munud i naw, ac aeth i mewn i'r iard. Roedd grŵp o fechgyn yn sefyll wrth y wal yn syllu arno fe. Er bod Nick yn teimlo'n nerfus, aeth i siarad â nhw.

"Esgusodwch fi," meddai wrthyn nhw, a'i acen Saesneg yn torri'r awyr fel cyllell. "Ble mae'r fynedfa, os gwelwch yn dda?"

Cyfeiriodd un o'r bechgyn at y drws agosaf.

"Fan yna," meddai. "Ti ydy'r bachgen newydd o'r tŷ mawr yn Stryd Alma?"

"Ie," atebodd Nick.

"Mae'n rhaid i ni aros yn yr iard tan naw o'r gloch," meddai'r bachgen. "Ond mae'r plant newydd yn cael mynd i mewn i'r ysgol yn gynnar a chwrdd â'r athrawon. Cer i guro ar y drws. Fe ddof i gyda ti. Milgi sy ar ddylctswydd. Mae e'n garedig."

Aethon nhw at y drws. Curodd Nick unwaith, ond ddaeth neb i ateb. Yna rhoddodd y bachgen arall ergyd uchel i'r drws. Aeth ychydig o eiliadau heibio ac yna agorodd y drws yn sydyn. Roedd dyn tal, tenau yn sefyll yno; roedd e'n edrych yn grac iawn. Trodd Nick ei ben ond roedd y bachgen arall wedi diflannu. Yna, estynnodd yr athro ei law a llusgo'r disgybl newydd i mewn i'r coridor …

3.

Aeth yr athro â'r bachgen i mewn i'r ystafell ddosbarth agosaf; yna cerddodd yr athro at fwrdd lle roedd cloch law haearn a gwialen fambŵ yn gorwedd yn ymyl ei gilydd.

"Mae e'n mynd i ganu cloch yr ysgol," meddyliodd Nick, ond na – dewisodd yr athro y wialen a'i chodi yn yr awyr.

9

"Dere yma ac estyn dy law, 'machgen i," gorchmynnodd e, a doedd gan y bachgen ddim dewis yn y mater.

Daeth y wialen i lawr a saethodd poen ofnadwy drwy fysedd Nick. Gwaeddodd e'n uchel, a thynnu ei law i ffwrdd, ond doedd Milgi ddim wedi gorffen eto.

"Nawr y llaw arall," gorchmynnodd. "Brysia!"

Yna clywodd yr athro y drws yn agor, a throdd ei ben i weld pwy oedd yno.

"Tom Evans …" meddai'n grac. "Beth wyt ti'n wneud yn yr ysgol? Dydw i ddim wedi canu'r gloch eto."

"Doedd dim bai ar Nick, Mr Jones," meddai Tom yn gyflym. "Dydy e ddim yn gwybod y rheolau. Bachgen newydd ydy e. Mae'r bechgyn eraill wedi chwarae tric arno fe."

"Pa fechgyn?" gofynnodd Milgi. "Eu henwau nhw, os gweli di'n dda, Tom Evans."

Atebodd Tom ddim. Erbyn hyn roedd yr athro wedi anghofio am y bachgen newydd.

"Estyn dy law di, felly," meddai Milgi wrth Tom.

Caeodd Nick ei lygaid ond clywodd e'r wialen yn disgyn chwe gwaith ar law Tom Evans. Erbyn diwedd y gosfa roedd wyneb Tom wedi colli'i liw ond doedd e ddim wedi gwneud sŵn o gwbl.

"Reit," meddai'r athro gan roi'r wialen i lawr ar y bwrdd. "Cer â'r bachgen newydd i weld Mr Lewis y prifathro. A byddwch yn ofalus o hyn ymlaen, y ddau ohonoch chi …"

Hanner awr yn hwyrach, roedd Nick Kelland yn

eistedd yn nosbarth Miss Davies, athrawes ddymunol iawn. Doedd dim angen iddi ofyn pam oedd llygaid y bachgen newydd yn goch, achos roedd stori'r gosfa wedi mynd o gwmpas yr ysgol mewn fflach.

"Gobeithio y byddi di'n hapus yn y dosbarth 'ma, Nick," meddai hi. "Dosbarth yr arholiad ydy e. Os bydd y gwaith yn rhy galed, fe alli di fynd i mewn i ddosbarth Mr Jones."

Crynodd Nick wrth glywed enw Mr Jones. Na, roedd e'n mynd i aros yn nosbarth Miss Davies, costied a gostio!

"Cer i eistedd wrth ochr Jessica Evans," meddai Miss Davies gan gyfeirio at ferch dlos yn y rhes flaen. "Mae Jessica'n glyfar iawn; os bydd problem 'da ti, fe fydd Jessica'n hapus i helpu. Ac wrth gwrs, rwyt ti'n gallu gofyn i fi am help, fel pawb arall yn y dosbarth."

Roedd pawb yn edrych ar y bachgen newydd gyda diddordeb. Roedd ei ddillad e'n gostus a smart. Doedd dim clwt ar ei drowsus na'i siaced. Ond doedden nhw ddim yn teimlo'n eiddigeddus o gwbl; dosbarth hapus oedden nhw.

Yn ystod yr egwyl ac ar amser cinio roedd y bechgyn a'r merched yn chwarae mewn dwy iard wahanol y tu ôl i'r ysgol. Roedd Nick yn gobeithio cwrdd â Tom eto a diolch iddo fe am ei help yn y bore. Ond roedd Tom yn chwarae gyda'i ffrindiau – y bechgyn hynny oedd wedi achosi'r trafferth gyda Milgi!

Siaradodd Nick â Jessica am y mater yn y dosbarth ar ôl cinio.

"Wyt ti'n nabod bachgen o'r enw Tom yn nosbarth Milgi Jones?" gofynnodd e.

"Ydw, wrth gwrs," atebodd hi. "Fy mrawd i ydy Tom. Pam wyt ti'n gofyn?"

"Wel, y bore 'ma roedd e'n garedig iawn i mi pan oeddwn i mewn trafferth gyda Milgi. Ond nawr mae'n well 'da fe siarad â'r bechgyn achosodd y trafferth yn y lle cyntaf."

"O, Dai Hughes a'i giang," meddai Jessica. "Bwli yr ysgol ydy Dai."

"Oes ofn Dai Hughes ar dy frawd di?" gofynnodd Nick.

"Nac oes," atebodd y ferch. "Mae Tom fel Cochyn, y bachgen sy'n eistedd y tu ôl i ni. Does dim ofn neb arnyn nhw."

"Ond ffrind Tom ydy Dai Hughes?" gofynnodd Nick.

"Maen nhw yn yr un dosbarth, felly maen nhw'n ffrindiau yn yr ysgol. Ond ar ôl yr ysgol mae Tom yn chwarae gyda'i ffrindiau o'r stryd."

"Beth am Tom a Cochyn?" gofynnodd Nick. "Ydyn nhw'n ffrindiau?"

"Ydyn," atebodd Jessica. "Maen nhw'n pysgota gyda'i gilydd yn yr afon ac yn y llyn yr ochr arall i'r mynydd."

"Does dim ffrindiau 'da fi ym Mlaencwm eto," sylwodd Nick yn drist.

"Paid â phoeni," meddai'r ferch gan wenu. "Rwyt ti'n perthyn i Stryd Alma. Fe fyddi di yn yr un giang â Tom a fi."

Ac roedd y ferch yn iawn. Ar ôl yr ysgol aeth hi a'i

brawd a'r bachgen newydd adref gyda'i gilydd. A phan gyrhaeddodd Nick adref siaradodd e â'i fam am Miss Davies a phlant dymunol y dosbarth, ond ddywedodd e ddim gair am wialen fambŵ Milgi Jones!

4.

Cyn symud i Gwm Alaw i fyw roedd y teulu Kelland yn byw mewn pentref bach tawel yng nghefn gwlad. Docdd dim llawer o blant yn y pentref, a nawr roedd Edmund a Shirley yn hapus i weld cymaint o bobl ifainc yn chwarae gyda'i gilydd yn Stryd Alma. Bob nos, ar ôl gorffen ei waith cartref, roedd Nick yn mynd allan a chwrdd â'r plant eraill dan lampau nwy y stryd.

Dros y penwythnos roedd e'n mynd gyda Tom at yr afon, lle roedden nhw'n cwrdd â Cochyn. Roedd Tom a Cochyn yn arfer pysgota am frithyllod, er bod dŵr yr afon yn ddu ac yn llawn llwch glo. Doedd Nick ddim yn pysgota; roedd e'n mynd â llyfr ysgol gyda fe, ac yn astudio yn yr awyr agored. Roedd llawer o bethau yn y dosbarth yn newydd iddo fe, ac roedd rhaid iddo fe astudio'n galed i lwyddo yn yr arholiad yn yr haf. Pan oedd y tywydd yn rhy wael i fynd i bysgota roedd Nick yn gweithio yn ei ystafell ei hunan yn y tŷ.

Weithiau roedd e'n galw ar Tom yn ei dŷ teras bach hanner ffordd i lawr y stryd. Roedd Jessica'n paratoi ar gyfer yr arholiad hefyd, ond doedd dim ystafell dawel gyda hi o gwbl. Roedd rhaid iddi hi astudio a gofalu am y baban, Rebecca, ar yr un pryd, tra oedd ei mam Julie yn brysur yn y gegin. Ond er hynny, roedd Jessica'n gwneud yn dda yn yr ysgol, ac fel arfer roedd hi'n dod yn gyntaf ym mhob arholiad.

Pan ddechreuodd y tywydd oeri ym mis Hydref rhoddodd y bechgyn eu gwialennau pysgota i gadw a dechrau meddwl am Noson Guto Ffowc. Roedd coelcerth ym mhob stryd ac roedd y plant yn casglu coed ar eu cyfer bob nos ar ôl yr ysgol. Er bod digon o goed i bawb yn y cwm, roedd y bechgyn yn mwynhau dwyn peth oddi ar goelcerthi eraill fel lladron y Gorllewin gwyllt.

Un noson gorffennodd Nick ei waith cartref yn gynnar ac aeth i ymuno â grŵp o ffrindiau yn y stryd.

"Rydyn ni'n mynd i ymosod ar goelcerth Stryd Wyndham heno," meddai Tom wrtho fe.

"Gaf i ddod gyda chi?" gofynnodd Nick. Roedd e'n edrych ymlaen at antur newydd gyda bechgyn y stryd.

"Gofynna i Charles," atebodd Tom, gan gyfeirio at fachgen hŷn. "Fe ydy pennaeth y giang."

Yn anffodus, roedd gan Charles syniad arall.

"Mae'n rhaid i ti aros yma gyda'r merched a'r efeilliaid," meddai wrth Nick, "rhag ofn bod bechgyn eraill yn ceisio dwyn ein coed ni."

Roedd yr efeilliaid, Bernard a Billy Shepherd, yn wyth mlwydd oed. Doedd Nick ddim eisiau aros gyda nhw a Jessica a'r merched eraill, ond doedd e ddim eisiau digio pennaeth y giang chwaith. Ond pan ddiflannodd y grŵp o fechgyn rownd cornel y Blaencwm Arms, dywedodd

Billy Shepherd yn sydyn:

"Beth am i ni fynd i'r cyfeiriad arall i chwilio am goed?" awgrymodd e.

Cododd calon Nick ar unwaith. Trodd e at y brawd arall.

"Beth amdanat ti, Bernard?" gofynnodd e. "Wyt ti'n dod gyda ni?"

"Mae asthma arna i," atebodd y bachgen. "Felly, dydw i ddim yn gallu cario pethau trwm, ond iawn, fe ddof i gyda chi."

Edrychodd Nick ar Jessica a'r merched eraill. Doedden nhw ddim yn talu sylw o gwbl; roedden nhw'n siarad am y ffilm newydd yn sinema'r Palace.

Roedd gan Billy gynllun yn barod; ar waelod y stryd troeon nhw i'r chwith a cherdded ar hyd cwpl o derasau hir. Roedden nhw newydd fynd heibio i dafarn y Gellidawel pan welon nhw fachgen yn eistedd ar garreg drws un o'r tai. Siaradodd Billy a Bernard ag ef am foment, yna aethon nhw ar eu ffordd eto.

"Pwy ydy'r bachgen 'na?" gofynnodd Nick. "Dydw i ddim wedi ei weld e yn yr ysgol."

"Rhodri ydy e, ond dydy e ddim yn mynd i'r ysgol yn aml," meddai Billy dan chwerthin. "Mae e'n eistedd fel yna trwy'r amser. Mae ei fam wedi marw ac mae ei dad yn yfed."

"Faint ydy ei oed e?" gofynnodd Nick.

"Deg oed. Mae e yn yr un dosbarth â Tom yn yr ysgol."

"Ond mae e mor fach," sylwodd Nick yn syn.

"Yn ôl Mam dydy ei dad ddim yn gofalu amdano fe'n

15

dda," meddai Bernard. "Mae e'n byw ar sglodion a bara menyn."

"Shhh ..." meddai Billy yn sydyn. "Mae Heol Coldra jyst rownd y gornel nesaf. Mae coelcerth 'da nhw."

Wrth lwc, doedd dim plant i'w gweld yn y stryd. Doedd neb yno i amddiffyn y goelcerth o gwbl. Ond er hynny, doedd Nick ddim yn gwbl hapus.

"Mae'r goelcerth 'ma'n fach iawn," meddai wrth yr efeilliaid.

"Ydy," cytunodd Bernard. "Does dim llawer o blant yn y stryd 'ma, ac mae'r rhan fwyaf ohonyn nhw'n ifancach na ni."

Roedd hyder Nick Kelland yn codi bob eiliad.

"Gadewch i ni fynd â rhai o'r planciau o leiaf," awgrymodd e.

"Iawn," meddai Bernard. "Ond cofia, dydw i ddim yn gallu cario stwff trwm, oherwydd yr asthma."

Roedden nhw ar eu ffordd yn ôl i Stryd Alma, pan gwrddon nhw â grŵp arall o blant yn dod atyn nhw. Plant bach oedd y rhan fwyaf ohonyn nhw, ond yna gwelodd Nick wyneb cyfarwydd yng nghefn y grŵp. Cochyn oedd e, ac roedd e'n cario styllen hir yn ei ddwylo. Yna, yn sydyn, penderfynodd Billy Shepherd ollwng ei styllen e i'r llawr a rhedeg i ffwrdd nerth ei draed!

Wrth gwrs, doedd y gefell arall, Bernard, ddim yn gallu rhedeg i ffwrdd, oherwydd ei asthma, a doedd Nick ddim yn gallu ei adael e yno ar ei ben ei hunan. Daeth Cochyn atyn nhw a gofyn:

"Beth sy'n bod ar Billy? Ble gawsoch chi'r styllod

'na?"

Roedd Nick yn teimlo'n rhy euog i ateb y cwestiwn, a dechreuodd Bernard besychu fel hen ddyn.

"Rydych chi wedi bod yn ein stryd ni, on'd ydych chi?" gwaeddodd Cochyn yn grac, ac roedd ei wyneb mor goch â'i wallt. Yna tarodd e Nick yn galed ar draws ei wyneb.

"Roeddwn i'n meddwl dy fod di'n ffrind, Nick," meddai Cochyn. "Wel, cer yn ôl i dy stryd di, ond gad y styllod yma. Rwyt ti'n lwcus fy mod i mewn tymer dda!"

Ar y ffordd yn ôl i Stryd Alma roedd Nick â'i ben yn ei blu, ond yna meddyliodd e am Bernard Shepherd am y tro cyntaf.

"Sut mae dy asthma di?" gofynnodd e.

"Yn iawn, diolch," atebodd y bachgen bach. "Pam wyt ti'n gofyn?"

"Wel, siŵr o fod, roedd ofn arnat ti gynnau fach," meddai Nick.

"Nac oedd," atebodd Bernard. "Ti gafodd dy daro, nid fi!"

Pan gyrhaeddodd Nick a Bernard Stryd Alma, roedd Billy wedi dweud y stori wrth y giang yn barod. Roedd Nick yn teimlo'n drist iawn, ond cafodd e syndod pan ddywedodd Charles wrtho fe:

"Does dim bai arnat ti, Nick. Fe ddylai Billy fod wedi dweud wrthot ti nad ydyn ni byth yn ymosod ar strydoedd bach fel Heol Coldra, dim ond ar strydoedd mawr fel Stryd Wyndham a Heol Tynybedw. Ond yn waeth na hynny, fe redodd Billy i ffwrdd a gadael ei frawd e mewn cawl."

Ond roedd cywilydd ar Nick Kelland o hyd.

"Rwy'n mynd i ymddiheuro wrth Cochyn yn yr ysgol fory," meddai wrth Tom Evans. "Wedi'r cwbl, rydyn ni'n ffrindiau."

"Iawn," atebodd Tom. "Bachgen glân ydy Cochyn. Paid ag anghofio hynny."

Cerddodd Nick yn drist i fyny'r stryd. Sylwodd e ddim fod Jessica Evans yn ei ddilyn e.

"Nick," meddai hi, a throdd y bachgen ac edrych arni.

"Ie?"

"Paid â phoeni am ddim byd. Tra oeddech chi i ffwrdd heno fe ddaeth grŵp o blant yma i ddwyn ein coed ni. Dydw i ddim wedi dweud dim byd wrth y bechgyn achos dydw i ddim eisiau achosi trafferth."

"Oeddet ti'n eu nabod nhw?" gofynnodd Nick.

"Oeddwn," atebodd y ferch gan wenu. "Cochyn a'i griw o Heol Coldra oedden nhw …"

5.

Felly ymddiheurodd Nick ddim wrth Cochyn am ddwyn coed Heol Coldra, a soniodd Cochyn ddim am y mater chwaith. Ar noson Guto Ffowc diffoddodd coelcerth fach Heol Coldra'n gyflym, felly daeth Cochyn a'i ffrindiau i Stryd Alma tua naw o'r gloch a dathlu gweddill y noson gyda Tom a Nick a'r lleill, a chafodd yr ymwelwyr groeso mawr gan blant y stryd. Fore trannoeth dim ond lludw oedd ar ôl lle roedd y goelcerth wedi sefyll mor uchel.

Roedd noson Guto Ffowc ar ben am flwyddyn arall.

Bob bore Sul roedd Edmund Kelland yn mynd â'i wraig a'i fab yn y Rover i'r eglwys Babyddol yn Nhref Alaw. Doedd Edmund ddim yn perthyn i'r eglwys, felly roedd e'n mynd am dro yn y parc os oedd y tywydd yn dda; os oedd y tywydd yn wael roedd e'n mynd i gaffe Sidoli a chael cwpanaid o goffi a darllen y papur Sul.

Roedd Julie Evans yn mynd â Jessica a'r baban, Rebecca, i gapel Bethlehem ym Mlaencwm. Doedd ei gŵr, Gareth, a'u mab ulıw, Tom, ddim yn mynd i'r capel o gwbl. Fel arfer roedd Tom yn aros gartref a helpu ei dad yn y sièd y tu ôl i'r tŷ.

Erbyn hyn roedd Julie a'i chymdoges newydd, Shirley Kelland, wedi dod yn ffrindiau oherwydd eu plant. Roedden nhw'n galw ar ei gilydd yn ystod yr wythnos neu'n cwrdd yn nhŷ Bopa Siân. Roedd Shirley yn hoffi coginio pethau blasus a'u rhannu nhw rhwng y plant.

Yn y cyfamser roedd Nick yn gwneud yn dda yn nosbarth Miss Davies. Roedd e'n cael marciau uchel ac roedd e'n dod ymlaen yn dda gyda phlant eraill y dosbarth.

Yn anffodus, doedd Dai Hughes a'i giang ddim yn fodlon derbyn Nick fel ffrind. Roedden nhw'n ei alw e'n "Sais"; a phan oedd e'n chwarae pêl-droed ar darmac iard yr ysgol roedd rhaid i Nick fod yn ofalus iawn, achos roedd bechgyn dosbarth Milgi Jones yn ei daclo fe'n ffyrnig.

Ond chwynodd Nick ddim wrth Tom a Cochyn. Doedd e ddim eisiau eu tynnu nhw i mewn i'r ffrae. Doedd e ddim yn ateb pan oedd e'n clywed yr enw 'Sais', a doedd e ddim yn protestio ar ôl tacl galed.

Ar ddiwedd y tymor safodd dosbarth Miss Davies yr arholiad olaf cyn arholiad hollbwysig yr haf. Cafodd Nick sioc pan gyhoeddodd yr athrawes y canlyniad: roedd Jessica Evans wedi dod yn gyntaf, fel arfer, ond roedd Nick wedi dod yn ail! Roedd Miss Davies yn hapus iawn; o'r diwedd roedd bachgen yn y dosbarth oedd yn gallu cystadlu gyda Jessica Evans.

"Fe fydd hynny'n sbardun i Jessica," meddai hi wrth Mr Lewis, y prifathro. "Does neb wedi dod yn agos ati hi o'r blaen."

Yn anffodus, doedd Cochyn ddim wedi gwneud yn dda o gwbl. Roedd e wedi symud o ddosbarth Milgi Jones flwyddyn yn gynt achos roedd ei dad eisiau iddo fynd i'r ysgol ramadeg.

"Mae e'n ffeindio'r gwaith yn galed," ysgrifennodd Miss Davies ar adroddiad Cochyn. "Bydd rhaid cadw llygad arno fe."

Roedd y plant yn paratoi ar gyfer y gyngerdd Nadolig yng nghapel Bethlehem ar ddiwedd y tymor. Roedd dosbarth Miss Davies yn mynd i actio stori'r Geni, ac roedd hi'n chwilio am actorion ac actoresau. Pan glywodd hi Nick yn canu am y tro cyntaf, cafodd yr athrawes syndod.

"Ble rwyt ti wedi dysgu canu mor dda, Nick?" gofynnodd hi.

"Weithiau mae Mam yn canu'r piano yn y tŷ," atebodd y bachgen. "Rwy'n canu caneuon gyda fy nhad."

"Wel, rwyt ti'n canu fel angel," meddai Miss Davies gan wenu. "A dyna dy ran di yn y ddrama; yr angel sy'n ymddangos i'r bugeiliaid."

6.

Er bod Edmund Kelland yn gweithio'n galed yn ei swydd newydd, doedd e ddim eisiau colli perfformiad ei fab Nick yn y gyngerdd. Cyrhaeddodd c a Shirley y capel yn gynnar ac eistedd drws nesaf i Julie Evans, oedd wedi dod i glywed ei merch Jessica'n canu yn y côr.

Erbyn diwedd y perfformiad roedd y gynulleidfa i gyd yn dwlu ar ganu'r bachgen o Wlad yr Haf. Ond pan ddaeth Nick allan o gapel Bethlehem ar ddiwedd y gyngerdd roedd Dai Hughes a'i giang yn aros amdano fe.

"Edrychwch ar yr angel," meddai Dai gan chwerthin. "Mae e'n canu fel merch fach."

Aeth wyneb Nick yn goch. Yn ffodus, roedd y rhieni i gyd wedi aros yn y capel i gael cwpanaid o de gyda'r prifathro, yr athrawon a Mr Llewelyn, gweinidog y capel. Yna clywodd Nick lais Jessica Evans.

"Dere gyda fi, Nick," meddai hi'n dawel. "Rwy'n mynd i gwrdd â Tom a Cochyn wrth bont y rheilffordd."

Yn anffodus, dechreuodd Dai Hughes a'i griw eu dilyn nhw i lawr y ffordd. Trodd Dai at ei ffrind Arwel a dweud:

"Felly, mae cariad newydd 'da Jessica Evans. Mae hi'n mynd allan gyda'r Sais."

"Dala ei law e, Jess!" gwaeddodd Arwel gan chwerthin. "Mae ofn y tywyllwch arno fe!"

"Paid â thalu sylw, Nick," meddai'r ferch. "Maen nhw'n tynnu dy goes di."

Fel roedd Jessica wedi dweud, roedd Tom a Cochyn yn disgwyl amdanyn nhw wrth y bont. Roedd y ddau fachgen yn eistedd ar wal isel wrth ochr y ffordd.

"Hylô, Nick," meddai Cochyn. "Wyt ti'n mynd i ganu gyda ni?"

"Ydy," meddai Jessica'n gyflym, ac edrychodd Nick arni hi'n syn. Doedd hi ddim wedi dweud gair wrtho fe am ganu.

"Reit," meddai Cochyn gan dynnu rhywbeth allan o'i boced. "Mae organ geg 'da fi, ac mae crib a phapur 'da Tom."

Trodd Jessica at Nick ac esbonio:

"Rydyn ni'n mynd i ganu carolau i gasglu arian. Ydy hynny'n iawn?"

"Iawn," atebodd Nick. Unrhyw beth i ddianc oddi wrth Dai Hughes a'i griw.

Ond roedd Tom wedi clywed rhan o sgwrs Dai ac Arwel, a doedd e ddim yn edrych yn hapus o gwbl.

"Beth rwyt ti'n wneud yma, Dai?" gofynnodd e. "A beth am Arwel a'r lleill?"

"Rydyn ni wedi dod i wrando ar yr angel o Loegr yn canu," meddai Dai gan wenu.

Cododd Tom ar ei draed a cherdded tuag ato fe.

"Mae ceg fawr 'da ti, Dai," meddai. "Bagla hi!"

Ond yna aeth Arwel i sefyll wrth ochr Dai i ddangos ei

gefnogaeth.

"Paid â bod yn dwp, Arwel," meddai Cochyn heb godi oddi ar y wal. "Mae Tom yn gallu trechu'r ddau ohonoch chi."

Trodd Arwel ei ben ac edrych ar weddill y giang. Doedden nhw ddim yn edrych yn hapus; roedd tymer Cochyn yn enwog yn y pentref ac roedd ei dymer wedi bod yn ddrwg iawn yn ddiweddar. Dechreuon nhw droi i ffwrdd.

"Dere, Dai," meddai Arwel. "Mae'n mynd yn oer."

Petrusodd Dai am eiliad, ond yna trodd e i fynd hefyd.

"Tan y tro nesaf, Nick," meddai dan ei anadl, ond atebodd Nick ddim.

"Reit," meddai Tom pan oedd y bechgyn i gyd wedi diflannu i gyfeiriad canol y pentref. "Gadewch i ni fynd i ganu carolau."

Dechreuon nhw yn Heol Las, y teras lle roedd y bachgen o'r enw Rhodri yn byw. Roedd Rhodri'n eistedd ar garreg drws y tŷ fel arfer, er gwaethaf y tywydd oer.

"Does dim arian 'da fi," meddai wrthyn nhw. "A fydd Dad ddim yn ôl o'r Gellidawel tan amser cau."

"Does dim ots, Rhodri," meddai Jessica gan wenu. "Fe fyddwn ni'n canu carol i ti am ddim."

Roedd Nick yn gallu gweld bod y bachgen yn crynu o oerfel dan ei siaced, ond doedd Rhodri ddim yn achwyn o gwbl. Pan orffennon nhw'r garol, gwenodd Rhodri'n sydyn.

"Diolch," meddai. "Nawr, ewch i ganu o flaen y dafarn. Mae Dad a'i ffrindiau'n hael iawn."

Ac roedd e'n dweud y gwir; cyn bo hir roedd y grŵp bach wedi casglu bron dwy bunt – ffortiwn! Yna aethon nhw ymlaen ar hyd gweddill y teras.

"Mae'n mynd yn hwyr," meddai Jessica wrth y lleill o'r diwedd, "ac mae'n mynd yn oer, hefyd. Gadewch i ni rannu'r arian a mynd adref am y nos."

Ond roedd Nick Kelland yn meddwl am deulu Tom a Julie. Doedd eu tad nhw ddim yn ennill llawer o arian gyda'r Cyngor, ac roedd tad Cochyn wedi bod yn sâl, a doedd e ddim wedi gweithio ers amser.

"Dydw i ddim eisiau dim byd," meddai wrthyn nhw'n hael. "Rwy'n cael digon o arian poced bob wythnos."

Sylweddolodd e ar unwaith ei fod e wedi gwneud camgymeriad. Doedd Tom a Cochyn ddim yn edrych yn hapus o gwbl.

"Rydyn ni'n mynd i rannu'r arian yn gyfartal," meddai Cochyn. "Does dim gwahaniaeth rhyngddon ni o gwbl".

Doedd Nick ddim yn gwybod beth i'w ddweud. Yn ffodus, roedd Jessica'n meddwl yn gyflym. Trodd hi at ei brawd hi a Cochyn.

"Mae Nick yn iawn," meddai hi. "Ond am reswm arall. Chi sy wedi canu'r offerynnau heno, felly rydych chi'n haeddu mwy o arian na Nick a fi."

Edrychodd Cochyn ar Tom, a nodiodd Tom ei ben. Roedd ei chwaer wedi datrys y broblem. A dyna sut aeth Tom a Cochyn adref gyda dau swllt yr un yn fwy na Nick a Jessica.

7.

Ar ddechrau tymor y Gwanwyn daeth y bachgen o'r enw Rhodri i ysgol gynradd Blaencwm am y tro cyntaf ers misoedd.

"Mae'r tywydd yn rhy oer iddo fe eistedd ar garreg drws ei dŷ e, siŵr o fod," meddai Nick wrth Cochyn. "O leiaf, mae gwres yma yn yr ysgol."

"Dydw i ddim yn siŵr am hynny," atebodd Cochyn. "Rwy'n cerdded ar hyd Hcol Las bron bob nos, ac rwy'n gweld Rhodri'n eistedd wrth ddrws ffrynt y tŷ fel arfer."

Pan ganodd y gloch am egwyl y bore aethon nhw allan i'r iard i siarad â Rhodri a dysgu'r gwir. Roedd y bachgen yn sefyll ar ei ben ei hun yng nghornel yr iard; doedd e ddim yn chwarae pêl-droed gyda'r bechgyn eraill, achos roedd e'n fach a doedd e ddim yn gryf iawn.

"Pam wyt ti'n ôl yn yr ysgol?" gofynnodd Cochyn iddo fe.

"Achos doedd dim dewis 'da fi," atebodd y bachgen. "Roedd y Cyngor yn bygwth mynd â Dad o flaen y Llys os na fyddwn i'n dod yn ôl i'r ysgol. Dydy Dad ddim yn gallu fforddio talu dirwy."

"Mae'n rhaid i ti fod yn ofalus," meddai Nick. "Os nad wyt ti'n mynd i'r ysgol efallai bydd yr heddlu'n dy roi di mewn carchar i blant."

Erbyn hyn roedd ofn mawr ar Rhodri.

"Dydw i ddim am fynd i'r carchar," meddai'n nerfus. "Rwy'n hoffi bod yn rhydd."

"Wel, dere i'r ysgol bob dydd, 'te," awgrymodd Nick.

"Pam wyt ti'n cadw draw? Oes ofn Milgi Jones arnat ti?"

"Nac oes, dim o gwbl," atebodd Rhodri gan ysgwyd ei ben. "Mae Milgi'n gadael llonydd i fi. Dydy e ddim yn gofyn i fi wneud syms, na sgrifennu na darllen yn uchel yn y dosbarth. Dydy e ddim yn ddig wrtho'i chwaith."

"Wel, pam dwyt ti ddim yn dod?" gofynnodd Nick eto.

"Achos mae'n well 'da fi aros gartref," atebodd Rhodri, ac yna canodd y gloch am y wers nesaf.

Pan ddaeth yr eira i lawr ar ddiwedd mis Ionawr, trodd y mynyddoedd yn wyn, ac roedden nhw mor hardd â mynyddoedd Awstria a'r Swistir. Ond doedd bechgyn Stryd Alma ddim yn sylwi ar yr olygfa hardd o gwbl. Roedden nhw'n rhy brysur yn taflu peli eira at fechgyn y strydoedd eraill. Roedd Charles a bechgyn hŷn Stryd Alma'n fentrus iawn; roedden nhw'n crwydro strydoedd y pentref bob nos yn herio pawb i ddod allan o'r tai a'u hwynebu nhw. Wrth gwrs, roedd Tom a Nick a'r efeilliaid yn mynd gyda gweddill y giang bob tro.

Un noson arhosodd y giang wrth droed pont y rheilffordd. Roedden nhw wedi mynd ar hyd pob stryd yn y pentref heb weld neb.

"Cachgwn ydyn nhw," meddai Charles wrth y lleill. "Mae gormod o ofn arnyn nhw i ddod allan. Stryd Alma am byth!"

"Stryd Alma am byth!" gwaeddodd y lleill. "Stryd Alma am …" Ond yna dechreuodd darnau mawr o eira a iâ fwrw i lawr ar eu pennau nhw. Edrychodd Charles i fyny a gweld grŵp o fechgyn o Heol Tynybedw yn sefyll ar y bont. Roedd hen elyn Nick, Dai Hughes, yno gyda nhw.

26

"Dewch i lawr!" gwaeddodd Charles arnyn nhw'n ddig. "Dewch i lawr, y cachgwn!"

Fel ateb, taflodd un o fechgyn Heol Tynybedw bêl eira fawr, a laniodd yn union ar ben Charles.

"Peidiwch â thalu sylw," meddai e wrth y lleill gan rwbio'i ben. "Mae'n rhy hwyr i setlo dim byd heno. Fe fyddwn ni'n ymweld â Heol Tynybedw nos yfory … Gadewch i ni fynd adref nawr."

Troeon nhw i gyfeiriad Stryd Alma, ond yna gwelson nhw giang arall o fechgyn yn sefyll ar ben arall y stryd, yn rhwystro eu ffordd nhw. Roedd bechgyn o Stryd Wyndham yno, o Fryn Celynnog, Dan y Coed, a Heol y Fforch hefyd. Roedd y bechgyn 'na i gyd wedi cael llond bol ar fechgyn Stryd Alma yn ddiweddar, ac roedden nhw wedi penderfynu talu'r pwyth yn ôl.

Trodd Tom a Nick a'r lleill at eu pennaeth nhw am gyngor, a phetrusodd Charles ddim.

"Rhedwch," meddai wrthyn nhw. "Rhedwch …!"

8.

Roedd bechgyn Heol Tynybedw'n mynd i lawr y grisiau wrth ochr pont y rheilffordd y tu ôl i Nick a'i ffrindiau. Yr unig ffordd allan oedd trwy'r lonydd cefn – y gwlis. Gwelodd Nick Charles yn diflannu i mewn i'r gwli agosaf, a dilynodd e fe gyda gweddill y giang. Roedd y gwli'n dywyll iawn, ond roedd pawb yn rhedeg nerth eu traed.

Yna clywodd Nick lais yn gweiddi: "Ble mae'r Sais? Daliwch y Sais!"

Llais Dai Hughes oedd e, ond cyn bo hir roedd gweddill yr helwyr yn gweiddi'r un peth. Yn y cyfamser roedd bechgyn Stryd Alma'n rhedeg o lôn gefn i lôn gefn heb drefn o gwbl a heb gadw gyda'i gilydd. Yn awr ac yn y man roedd y bechgyn bach yn cael eu dal gan fechgyn mawr y strydoedd eraill. Yna roedd y bechgyn mawr yn gwthio darnau o iâ o dan eu coleri ac i lawr eu cefnau nhw. Pan glywodd Nick sgrechiadau'r bechgyn bach, aeth ei waed e'n oer. Beth oedd yn digwydd iddyn nhw? Roedd rhaid iddo fe ddianc.

Cyrhaeddodd e groesffordd yn y gwli, a gweld bachgen yn ei rwystro fe rhag mynd heibio. Yna clywodd e lais ei elyn, Dai Hughes.

"Pwy sy 'na?" gofynnodd Dai. "Ffrind neu elyn?"

Roedd Dai yn fwy nag e, ond roedd Nick yn rhedeg yn rhy gyflym i stopio. Ceisiodd e osgoi'r bachgen, ond yn anffodus symudodd Dai Hughes i'r un cyfeiriad.

Crash! Llithrodd troed Dai dan bwysau corff Nick, ac aeth Dai i lawr fel sach o datws. Ond roedd e wedi gweld wyneb ei elyn.

"Y Sais!" gwaeddodd e. "Mae'r Sais yma yn y gwli!"

Roedd Nick â'i wynt yn ei ddwrn. Doedd e ddim yn gallu aros yn y gwli. Penderfynodd e fentro allan i'r stryd agosaf.

Heol Las oedd hi, ac roedd y bachgen bach, Rhodri, yn eistedd ar garreg drws y tŷ fel arfer. Cerddodd Nick heibio iddo fe heb ddweud gair, ond yna dywedodd Rhodri:

"Paid â mynd y ffordd 'na. Mae bechgyn stryd Wyndham yn cuddio y tu ôl i'r dafarn."

"Mae'n rhaid i fi fynd adref," meddai Nick. "Mae'n mynd yn hwyr."

Clywson nhw leisiau yn y gwli y tu ôl i'r tŷ, a gwthiodd Rhodri'r drws ar agor.

"Cer i mewn," meddai, "ac yna cau'r drws."

Roedd y lleisiau'n dod yn agosach. Doedd dim dewis 'da Nick. Aeth e i mewn i gyntedd oer, tywyll. Roedd e'n gallu clywed camau ar y palmant, ac yna clywodd e lais ei elyn, Dai Hughes.

"Rhodri," meddai Dai. "Wyt ti wedi gweld Nick Kelland heno?"

"Ydw," atebodd Rhodri mewn llais clir, ac aeth gwaed Nick yn oer. "Fe aeth e heibio gynnau fach."

"Ble aeth e?" gofynnodd bachgen arall. Arwel oedd e.

"Roedd e ar ei ffordd i Heol Coldra i weld Cochyn a roedd e'n gofyn am help ... Wn i ddim pam," ychwanegodd Rhodri gyda gwên fach.

"O ..." Trodd Dai at y lleill ond ddywedodd neb air. Doedd neb eisiau digio Cochyn.

Clywodd Nick y camau'n diflannu i lawr y stryd. Yna agorodd y drws a daeth Rhodri i mewn i'r cyntedd.

"Rwy'n mynd i gynnau'r golau yn y gegin," meddai. "Dere i mewn."

Yn y golau gwan roedd Nick yn gallu gweld y papur yn hongian oddi ar waliau'r gegin. Doedd dim tân yn y grât er bod y tywydd mor oer. Edrychodd e ar y carped brown o flaen y grât, ond yna cafodd e sioc i weld y carped yn symud!

"Paid â phoeni," meddai Rhodri wrtho fe. "Dim ond chwilod duon ydyn nhw. Maen nhw'n byw y tu ôl i'r grât. Fe fyddan nhw'n diflannu cyn bo hir. Dydyn nhw ddim yn hoffi'r golau o gwbl."

Crynodd Nick wrth weld y chwilod duon yn rhedeg o gwmpas y llawr. Roedd e'n gallu dychmygu rhai ohonyn nhw'n rhedeg i fyny ei goes o dan ei drowsus. Byddai e'n teimlo'n fwy cyfforddus allan yn y stryd gyda giang Dai Hughes.

"Mae'n ddrwg gen i, Rhodri," meddai. "Mae'n rhaid i fi fynd. Diolch yn fawr am bopeth."

Roedd Rhodri'n gallu gweld nad oedd ei ymwelydd yn teimlo'n gyfforddus yn yr ystafell.

"Dydy'r tŷ ddim mor oer fel arfer," esboniodd e. "Pan nad ydy Dad yn gweithio mae e'n cynnau'r tân yn y grât."

Edrychodd Nick ar y bwrdd gwag.

"Wyt ti wedi cael swper?" gofynnodd e.

"Nac ydw, ddim eto," atebodd Rhodri. "Fe fydd Dad yn dod â sglodion i ni ar ôl i'r dafarn gau."

Trodd Nick i fynd, ond galwodd Rhodri fe'n ôl.

"Wyt ti'n fodlon gwneud ffafr i fi, Nick?" gofynnodd Rhidri

"Pa ffafr?"

"Mae gan Tom a Cochyn guddfan ar y mynydd. Maen nhw'n mynd yno'n aml yn yr haf, ac mae Jessica'n mynd gyda nhw. Os byddan nhw'n mynd â ti gyda nhw, a fydd yn bosibl i fi fynd hefyd?"

Cododd Nick ei ysgwyddau.

"Wn i ddim," atebodd e. "Pam dwyt ti ddim yn gofyn iddyn nhw dy hunan?"

Trodd Rhodri ei lygaid trist arno fe.

"Achos dydw i ddim wedi gwneud ffafr iddyn nhw," meddai'n syml. "Ond i ti, Nick …"

9.

Er bod disgyblion dosbarth Miss Davies yn gweithio'n galed ar gyfer arholiad yr haf, roedd pethau eraill gyda nhw i'w gwneud hefyd. Roedd eisteddfod Gŵyl Ddewi yn mynd i ddigwydd yn neuadd yr ysgol ar y cyntaf o Fawrth, ac roedd plant o bob dosbarth yn mynd i gymryd rhan yn y cystadlaethau canu, adrodd ac actio.

Dewisodd Miss Davies Nick i gymryd rhan yn y gystadleuaeth canu unawd. Roedd e'n mynd i ganu 'Dafydd y Garreg Wen', er nad oedd e'n siarad Cymraeg o gwbl. Felly, roedd rhaid i'r athrawes fynd trwy'r geiriau'n ofalus iawn gyda fe. Yna, bob nos roedd e'n ymarfer y gân yn y tŷ, gyda'i fam Shirley yn canu'r piano iddo fe.

"Wel, dydw i ddim yn deall yr un gair," meddai Shirley wrth ei gŵr Edmund. "Ond mae'n swnio'n hyfryd – y dôn a'r geiriau."

"Paid â disgwyl gormod ohono fe," rhybuddiodd tad Nick. "Dydy e erioed wedi canu yn Gymraeg o'r blaen."

Byddai'r plant yn cystadlu yn y bore, a fyddai dim ysgol yn y prynhawn. Ar fore Mawrth y cyntaf cododd Nick Kelland yn gynnar; roedd e'n edrych ymlaen at

31

gystadlu, ond roedd e'n teimlo braidd yn nerfus hefyd.

Ar ôl brecwast, pan aeth i wisgo ei siaced sylwodd fod ei fam wedi rhoi cenhinen Bedr yn y llabed.

"Mae'r plant yn gwisgo cennin Pedr y bore 'ma," esboniodd Shirley pan ddechreuodd e brotestio. "Traddodiad Cymraeg ydy e, Nick. Dwyt ti ddim eisiau bod yn wahanol, wyt ti?"

Roedd ei fam yn iawn. Roedd e eisiau bod fel y lleill. Doedd e ddim eisiau rhoi cyfle i Dai Hughes a'i griw chwerthin am ei ben e.

Ar ei ffordd i lawr y bryn galwodd e ar ei ffrind Tom Evans. Daeth Julie, mam Tom, i'r drws.

"Bore da, Mrs Evans," meddai Nick yn gwrtais. "Ydy Tom yn dod i'r ysgol?"

Ysgwyd ei phen a wnaeth mam Tom.

"Nac ydy," atebodd hi. "Dydy Tom byth yn mynd i'r ysgol ar ddiwrnod cyntaf y tymor pysgota. Mae e wedi mynd i lawr i'r afon gyda Cochyn."

Suddodd calon Nick ar unwaith, ond roedd gwaeth i ddod. Pan gyrhaeddodd e'r gornel ar waelod y stryd, roedd grwpiau o blant yn mynd heibio i'r Blaencwm Arms ar eu ffordd i'r ysgol. Sylweddolodd e fod y merched yn gwisgo cennin Pedr llachar fel fe … ond roedd y bechgyn i gyd yn gwisgo cennin!

Ceisiodd e guddio ei genhinen Bedr y tu ôl i'w law, ond yn rhy hwyr. Roedd bachgen o ddosbarth Milgi Jones wedi gweld y blodyn melyn yn barod.

"Edrychwch," gwaeddodd y bachgen wrth ei ffrindiau. "Mae Nick Kelland yn gwisgo daffodil fel y merched …!"

10.

Er bod Nick Kelland yn gwybod bod rhai o'r bechgyn yn chwerthin am ei ben e, penderfynodd e wisgo'r genhinen Bedr tan ddiwedd yr eisteddfod; yn gyntaf, achos roedd ei fam wedi'i rhoi hi iddo fe fel anrheg; yn ail, achos doedd dim cenhinen gydag e i'w gwisgo; ac yn drydydd, achos doedd e ddim eisiau ildio i bwysau Dai Hughes a'i ffrindiau.

Pan aeth e ar y llwyfan i gystadlu, clywodd e rywun yn chwerthin yng nghefn y neuadd. Yna chwarddodd rhywun arall. Mewn fflach, aeth yr athro Milgi Jones i mewn i'r gynulleidfa, a thynnu Dai Hughes a'i ffrind Arwel allan i'r coridor. Cyn hir roedd e'n chwipio'r wialen fambŵ i lawr ar ddwylo'r ddau fachgen.

Ond doedd hynny ddim yn help o gwbl i Nick Kelland. Doedd e ddim yn gallu canolbwyntio ar y gân o gwbl, a chyn hir roedd e wedi anghofio'r geiriau'n llwyr. Roedd rhaid i Miss Davies fynd ymlaen i ganu'r piano ar ei phen ei hun. Pan orffennodd yr eisteddfod, aeth Nick allan i'r iard ar ei ben ei hun. Roedd e'n teimlo'n ofnadwy ar ôl ei berfformiad gwael.

"Hei, ti … Nick!"

Trodd Nick ei ben a gweld bachgen o ddosbarth Milgi Jones yn sefyll wrth glwyd yr ysgol.

"Beth?" gofynnodd Nick.

"Mae Dai ac Arwel yn aros amdanat ti ar lan yr afon, wrth yr hen bont," meddai'r bachgen. "Wyt ti'n dod, neu beidio?"

Pam lai, meddyliodd Nick, dydy pethau ddim yn gallu mynd yn waeth.

"Ydw," atebodd e. "Rwy'n dod."

Roedd Jessica Evans yn gwylio popeth oedd yn digwydd trwy glwyd iard y merched. Trodd hi at ei dwy ffrind, Meryl Davies a Bethan Cooke.

"Rwy'n mynd i ddilyn y bechgyn 'na," meddai hi wrthyn nhw. "Ydych chi'n dod gyda fi?"

"Pam lai?" meddai Meryl. "Does dim ysgol y prynhawn 'ma."

Pan gyrhaeddodd Nick yr hen bont roedd Dai, Arwel a'r lleill yn aros amdano fe. Roedd Dai ac Arwel yn edrych yn sarrug iawn ar ôl y gosfa gan Milgi Jones. Roedd y dŵr du'n rhedeg yn araf heibio i golofnau'r hen bont. Roedd poncen laid wrth draed y golofn agosaf, ddwy lathen i ffwrdd o lan yr afon. Roedd y boncen laid yn feddal a dwfn, ond roedd pawb yn gwybod bod silff goncrit gul yn rhedeg o gwmpas y golofn dan y llaid – pawb ac eithrio Nick Kelland, wrth gwrs …

"Hylô, Nick," meddai Dai Hughes. "Rwy'n mynd i roi sialens i ti. Rwy'n mynd i neidio a glanio ar y boncen laid 'na. Os gwnei di'r un peth heb gwympo i mewn i'r afon, fe gei di ymuno â'n giang ni."

Erbyn hyn roedd Jessica a'i ffrindiau'n mynd i lawr y llethr y tu ôl iddyn nhw, ond doedd y bechgyn ddim yn poeni amdanyn nhw. Roedd Dai yn edrych ar ddillad taclus ei elyn; roedd Nick wedi gwisgo lan ar gyfer yr eisteddfod y bore hwnnw.

"Wel …" gofynnodd e. "Beth ydy dy ateb di?"

Cododd Nick ei ysgwyddau.

"Iawn," meddai gan ochneidio. "Os gwnei di neidio gyntaf."

Gwelodd e Dai Hughes yn neidio ac yn glanio'n ddiogel ar y boncen laid.

"Rwy'n dod," meddai Nick. "Ond dim triciau, reit?"

"Dim triciau, Nick," atebodd Dai. "Cris-croes."

Glaniodd troed dde Nick ar y concrit, ond chyrhaeddodd ei droed chwith mo'r silff o gwbl. Llithrodd e'n ôl a diflannu dan y llaid trwchus. Pan ddaeth e i'r golwg eto roedd e'n llaid i gyd, ac roedd y bechgyn ar lan yr afon yn marw chwerthin. Roedd e'n pesychu ac yn rhwbio'i lygaid, tra oedd Dai yn dal i sefyll wrth y golofn gan chwerthin fel y lleill.

Yna clywodd Nick lais Jessica Evans.

"Tynna fe i mewn, Nick," gwaeddodd hi. "Mae Tom a Cochyn yn dod. Tynna fe i mewn …!"

Yn ôl yn y tŷ mawr yn Stryd Alma, edrychodd Shirley Kelland ar y cloc ar y wal: ugain munud wedi un. Roedd hi'n gwybod bod rhywbeth wedi mynd o chwith. Pe bai Nick wedi bod yn llwyddiannus yn yr eisteddfod, byddai e gartref erbyn hyn.

Yna clywodd hi blant yn gweiddi yn y stryd. Aeth hi i agor y drws ffrynt a gweld beth oedd yn digwydd. Roedd grŵp o fechgyn a merched yn dod lan y bryn i gyfeiriad y tŷ mawr. Roedden nhw'n siarad ac yn gweiddi yn llawn cyffro. Arhoson nhw o flaen clwyd gardd ffrynt y tŷ. Roedd Shirley yn nabod rhai ohonyn nhw: Jessica Evans, ei brawd Tom, a hefyd Cochyn, ffrind Tom.

Ond beth ar y ddaear oedd y ffigwr 'na, oedd yn llaid i gyd fel anghenfil y môr? Trodd y creadur ei lygaid mawr arni hi, a chymerodd Shirley gam yn ôl.

"Peidiwch â phoeni, Mrs Kelland," meddai Jessica Evans gan wenu'n hapus. "Mae Nick a Dai Hughes wedi bod yn ymladd â'i gilydd yn yr afon – a Nick enillodd!"

11.

Hanner ffordd drwy wythnos gyntaf gwyliau'r Pasg, soniodd Tom wrth Nick am y guddfan ar y mynydd am y tro cyntaf.

"Dim ond fi, Cochyn a Jessica sy'n gwybod am y guddfan," meddai e. "Rydyn ni'n mynd yno fore dydd Sadwrn. Wyt ti eisiau dod gyda ni?"

"Ydw," atebodd Nick gan wenu. Roedd e'n gwybod bod gwahoddiad Tom yn anrhydedd mawr. Ond yna cofiodd e noson yr eira pan oedd Rhodri wedi ei helpu e i ddianc o afael Dai Hughes a'i giang. Diflannodd y wên o'i wyneb.

"Beth sy'n bod?" gofynnodd Tom. "Oes problem?"

Dywedodd Nick y stori wrtho fe, a sut roedd Rhodri eisiau ymweld â'u cuddfan nhw.

"Does dim problem," meddai Tom. "Bydd Cochyn a Jessica'n ddigon bodlon."

Ond pan ddaeth Cochyn i Stryd Alma i ymuno â nhw fore dydd Sadwrn, roedd ei ateb e'n annisgwyl.

"Rhodri?" meddai. "Dim peryg!"

"Ond pam lai?" gofynnodd Tom yn syn.

"Achos mae e'n chwerthin am ein pennau ni," atebodd Cochyn. "Mae'n rhaid i ni fynd i'r ysgol bob bore, dysgu pethau, gwneud gwaith cartref bob nos, tra bydd Rhodri'n eistedd ar garreg drws y tŷ yn gwneud dim byd!"

Roedd llais Cochyn yn chwerw; roedd e wedi newid yn ystod y flwyddyn, meddyliodd Tom. Doedd e ddim yn hapus, doedd e ddim yn gwenu'n aml.

"Ond mae Rhodri ar ei ffordd yma," meddai Nick. "Yn ôl Tom, fyddai dim problem o gwbl."

"Fe fydd rhaid i ni roi'r mater i bleidlais," meddai Jessica'n gyflym.

"Wel, does dim pleidlais gan Nick," atebodd Cochyn. "Mae e'n newydd yn y giang hefyd."

Ond hyd yn oed heb bleidlais Nick, enillodd Tom y dydd, achos pleidleisiodd ei chwaer e dros dderbyn Rhodri hefyd. Pan gyrhaeddodd Rhodri'r stryd bum munud yn ddiweddarach, soniodd neb am y mater o gwbl.

Roedd rhaid iddyn nhw ddringo'r mynydd yn araf, achos doedd Rhodri ddim yn arfer cerdded yn bell. Roedd peswch arno fe hefyd, ac roedd rhaid iddo fe orffwys yn aml. Cwynodd Cochyn am yr oedi o bryd i'w gilydd dan ei anadl, ond ddywedodd e ddim byd yn uchel.

Pan gyrhaeddon nhw'r creigiau ar ben y mynydd, aeth y llwybr yn gul iawn mewn mannau, yn enwedig pan groeson nhw glogwyn uchel â phwll mawr dwfn wrth ei droed. Roedd rhaid i Tom helpu ei chwaer e am sbel.

"Paid ag edrych i lawr, Jess," meddai wrthi hi.

"Edrycha'n syth ymlaen."

Cafodd Nick siom pan gyrhaeddon nhw'r guddfan; dim ond twll yn y creigiau oedd hi. Ond roedd nant glir yn llifo heibio i'r guddfan, ac roedd yr olygfa ar draws y mynyddoedd yn fendigedig. Aeth y bechgyn i orwedd ar lan y nant tra oedd Jessica'n golchi ei hwyneb yn y dŵr ffres. Roedd yr awyr yn las ac roedd adar bach yn canu'n uchel uwch eu pennau nhw.

"Fe hoffwn i fod yn dderyn," meddai Rhodri'n sydyn, " a gallu hedfan i bobman."

Trodd Jessica rownd ac edrych ar gorff bach Rhodri'n gorwedd ar y glaswellt.

"Pa fath o dderyn?" gofynnodd hi gan wenu. "Colomen wen?"

Cyn i'r bachgen allu ateb, chwarddodd Cochyn yn uchel, ond heb unrhyw awgrym o hiwmor yn ei lais.

"Nage," meddai. "Deryn du, mwy na thebyg, achos dydy Rhodri byth yn ymolchi!"

"Paid â phoeni, Rhodri," meddai Jessica. "O leiaf, rydw i'n dy ddeall di."

Atebodd Rhodri ddim. Roedd e wedi cau ei lygaid e, fel pe bai e'n breuddwydio …

12.

Er bod y lleill yn hapus i orwedd ar y glaswellt a mwynhau'r haul ar eu hwynebau, doedd Cochyn ddim yn gallu ymlacio o gwbl.

"Rwy'n mynd i gerdded i lawr i bentref Ystrad Fach yn y cwm nesaf," meddai'n sydyn. "Pwy sy eisiau dod gyda fi?"

Cododd Tom ar ei draed, a Nick hefyd; ond symudodd Rhodri ddim.

"Rwy'n aros yma," meddai'r bachgen. "Rwy'n rhy flinedig i fynd ymlaen."

Trodd Tom at ei chwaer e.

"Beth amdanat ti, Jess?" gofynnodd e.

"Rwy'n mynd i aros gyda Rhodri," atebodd hi. "Gyda llaw, mac'r awyr yn edrych yn dywyll draw fan yna."

Ond doedd Cochyn ddim yn mynd i newid ei feddwl.

"Os bydd hi'n bwrw glaw, fydd dim ots," meddai e. "Mae 'na ffordd sy'n arwain o Ystrad Fach i Dref Alaw. Fe fydd rhywun yn siŵr o roi lifft i ni."

"Cymer y ffordd hir i fynd adref, Jess," meddai Tom wrth ei chwaer. "Yna fe fyddwch chi'n osgoi'r creigiau. Wyt ti'n gyfarwydd â'r ffordd 'na?"

"Ydw," atebodd hi. "Paid â phoeni amdanon ni. Fe fyddwn ni'n osgoi'r creigiau'n llwyr, hyd yn oed os bydd hi'n dechrau bwrw glaw."

Roedd llethrau'r cwm arall yn serth iawn, a chymerodd hi ddim yn hir i'r tri bachgen gyrraedd pentref Ystrad Fach. Ond pan edrychodd Nick Kelland yn ôl, sylweddolodd e y byddai'r daith adref yn galed iawn. Fel roedd yr enw'n awgrymu, roedd y pentref yn fach – dim ond tafarn, siop gornel a dau ddwsin o dai. Roedd hen Hillman Minx du yn sefyll ar ei ben ei hun ym maes parcio'r dafarn.

"Mae gan Milgi Jones gar fel yna," meddai Tom wrth y lleill. "Ond fel arfer, mae e'n cerdded i'r ysgol."

"Milgi mewn tafarn?" meddai Cochyn. "Dim peryg!"

Roedd y siop fach ar agor, ond doedd dim arian 'da nhw, felly edrychon nhw ar y ffenestr am sbel ac yna symudon nhw ymlaen.

"Diawl!" meddai Nick yn sydyn. "Mae hi'n dechrau bwrw glaw."

Cyn bo hir roedd hi'n bwrw hen wragedd a ffyn. Fel arfer, roedd Cochyn yn barod i roi'r bai ar Rhodri.

"Roedd e mor araf," cwynodd e, "rydyn ni wedi colli rhan fwya'r diwrnod."

"O, cau dy ben di, Cochyn," meddai Tom. "Ti oedd am ddod yma. Paid â rhoi'r bai ar neb arall."

"O, rwy'n gweld," atebodd Cochyn. "Mae ffrindiau newydd 'da ti nawr, Tom – Nick a Rhodri. Wel, pob lwc i chi i gyd. Mae'n well 'da fi fod ar fy mhen fy hun."

Syllodd ei ddau ffrind arno fe. Pam oedd e'n siarad fel yna?

"Beth sy'n bod, Cochyn?" gofynnodd Tom. "Beth sy'n bod arnat ti? Rwyt ti'n cwyno trwy'r amser. Dwyt ti ddim yn hapus yn yr ysgol; dwyt ti ddim yn hapus gartref; dwyt ti ddim yn hapus pan wyt ti'n pysgota. Dim ond poen wyt ..."

Welodd Nick mo'r ergyd, ond pan drodd e ei ben gwelodd e waed yn llifo o drwyn Tom Evans. Roedd wyneb Tom yn wyn, ond roedd wyneb Cochyn mor goch â'i wallt e.

Cymerodd Tom gam ymlaen.

"Reit, Cochyn," meddai e, "rwyt ti wedi mynd yn rhy bell y tro 'ma."

Y foment nesaf roedd y ddau fachgen yn rowlio ar y ddaear gan bwnio a chicio ei gilydd. Ceisiodd Nick Kelland eu gwahanu nhw, ond roedden nhw wedi colli eu tymer yn llwyr. Yna clywodd Nick sŵn cerbyd.

"Codwch!" gwaeddodd e. "Mae car yn dod. Fe fyddwch chi'n cael eich lladd!"

Cododd y ddau fachgen yn anfodlon, a sychodd Tom y gwaed o'i drwyn ar lawes ei grys e. Gwelodd Tom fod marciau ar wyneb Cochyn hefyd.

Yna daeth yr Hillman Minx rownd y gornel a gwelodd Nick wyneb cyfarwydd yn ffenestr y car. Miss Davies oedd hi, ac roedd Milgi Jones y tu ôl i'r olwyn! Arhosodd yr Hillman a gostyngodd yr athrawes y ffenestr.

"Ewch i mewn i'r cefn," meddai hi. "Fe roddwn ni lifft adref i chi."

Petrusodd Tom a Cochyn, ond agorodd Nick ddrws cefn y car a'u gwthio nhw i mewn. Roedd Tom yn cuddio ei drwyn â'i law, ac roedd Cochyn yn crynu fel deilen.

"Diolch yn fawr, Syr," meddai Nick gan gau'r drws. "A diolch i chi, Miss Davies."

Trodd yr athrawes ei phen a gwenu arnyn nhw. Roedd hi'n edrych yn hapus iawn, er gwaethaf y tywydd. Yn y cyfamser, roedd Milgi'n canolbwyntio ar y ffordd o'i flaen e. Doedd e ddim wedi dweud gair eto.

"Dyma sut rwyt ti'n paratoi ar gyfer yr arholiad, Nick?" gofynnodd Miss Davies. Wrth gwrs, roedd hi'n tynnu coes y bachgen, achos Nick oedd y disgybl gorau yn y dosbarth – ar ôl Jessica Evans.

Edrychodd e arni hi'n swil. Doedd e ddim yn gwybod beth i'w ddweud.

"A beth amdanat ti, Elfed Lewis?" gofynnodd hi i Cochyn. "Wyt ti'n barod am yr arholiad?"

Atebodd y bachgen ddim; felly gofynnodd yr athrawes y cwestiwn yr ail waith. Yna daeth sŵn rhyfedd allan o geg Cochyn, fel pe bai e'n chwerthin. Aeth gwaed Nick yn oer. Oedd Cochyn yn chwerthin am ben Miss Davies? Meddyliodd e am Milgi hefyd. Oedd yr athro'n cario gwialen fambŵ yng nghist yr Hillman Minx?

"Beth sy'n bod, Elfed?" gofynnodd Miss Davies. "Pam wyt ti'n wylo?"

Trodd Nick ei ben yn syn ac edrych ar ei ffrind. Roedd Cochyn yn dal i grynu, ac roedd dagrau mawr yn llifo i lawr ei fochau e. Bu eiliaid o ddistawrwydd, ac yna dechreuodd Cochyn siarad am yr ysgol a'r arholiad. Dywedodd e ei fod e ar bigau'r drain achos doedd e ddim eisiau sefyll yr arholiad. Doedd e ddim eisiau mynd i'r ysgol ramadeg yn Nhref Alaw; roedd e eisiau mynd i'r ysgol uwchradd leol fel ei ffrind Tom. Roedd e eisiau gweithio dan ddaear fel ei dad, ond doedd ei dad ddim yn fodlon. Roedd ei dad eisiau iddo fe wneud yn well na hynny. Yna dechreuodd y bachgen roi'r bai ar bawb – ei rieni, Miss Davies, a hyd yn oed Milgi Jones.

Pan beidiodd Cochyn â siarad, ddywedodd neb air am rai eiliadau. Sylwodd Nick fod Milgi Jones wedi stopio'r car; yna siaradodd yr athro am y tro cyntaf.

"Mae'n ddrwg gen i, Elfed," meddai e wrth Cochyn.

"Doeddwn i ddim yn gwybod dim byd am dy broblemau di. Pan oeddet ti yn fy nosbarth i, roeddet ti'n well na'r lleill. Dyna pam anfonais i di lan i ddosbarth Miss Davies. Ond rwy'n addo un peth i ti. Rwy'n mynd â ti'n syth adref nawr, ac rwy'n mynd i drafod y mater gyda dy rieni di. Ydy hynny'n iawn, Miss Davies?"

"Ydy," meddai'r athrawes yn dawel, a thaniodd Milgi Jones y peiriant eto.

Felly, ar ddechrau tymor yr haf, roedd desg wag y tu ôl i Nick a Jessica yn ystafell ddosbarth Miss Davies. Roedd Cochyn wedi symud yn ôl i ddosbarth Milgi Jones, ac er gwaethaf y wialen fambŵ yn gorwedd ar ddesg yr athro, roedd Cochyn yn edrych yn llawer hapusach.

13.

Yn ystod yr wythnos cyn yr arholiad aeth Miss Davies drwy hen bapurau arholiad gyda'r dosbarth. Ond fore dydd Mawrth doedd Jessica Evans ddim yn yr ysgol.

"Wyt ti'n gwybod beth sy'n bod arni hi?" gofynnodd yr athrawes i Nick Kelland. "Rydych chi'n byw yn yr un stryd, on'd ydych chi?"

"Ydyn," atebodd y bachgen. "Ond dydw i ddim wedi ei gweld hi y bore 'ma."

Rhoddodd Miss Davies waith i'r dosbarth ei wneud, ac yna aeth hi ar draws y coridor i ystafell ddosbarth Milgi Jones. Roedd Tom Evans yn eistedd yng nghefn y dosbarth.

"Tom," gofynnodd Miss Davies, "ble mae dy chwaer di y bore 'ma? Ydy hi'n sâl?"

"Ydy, Miss," atebodd e. "Roedd hi'n pesychu trwy'r nos, felly penderfynodd Mam ei chadw hi yn y gwely y bore 'ma."

Ar ddiwedd y prynhawn cerddodd Tom a Nick adref gyda'i gilydd.

"Gaf i ddod i mewn i weld Jessica?" gofynnodd Nick pan gyrhaeddon nhw dŷ Tom. "Efallai bydd eisiau rhywbeth arni hi – llyfrau neu nodiadau."

Nodiodd Tom ei ben, ac aethon nhw i mewn i'r tŷ. Roedd Bopa Siân yn eistedd yn y gegin yn gofalu ar ôl Rebecca, y baban.

"Hylô, Bopa Siân," meddai Tom. "Ble mae Mam?"

"Mae hi lan llofft gyda Jessica," atebodd Siân. "Fydd hi ddim yn hir."

"Sut mae Jessica?" gofynnodd Nick. "Ydy hi'n teimlo'n well?"

"Fe ddaeth Dr Nelson i'w gweld hi y bore 'ma," meddai Bopa Siân. "Mae'r ffliw arni hi. Fe roddodd y meddyg aspirin a moddion peswch iddi hi. Fe fydd e'n dod yn ôl i'w gweld hi bore fory."

Roedd Tom yn edrych ar fwrdd y gegin. Roedd dwy botelaid o ddiod oren yno, a hefyd plataid o ffrwythau.

"Fe ddaeth Mrs Kelland â'r pethau 'na i Jessica y prynhawn 'ma," eglurodd Bopa Siân. "Roedd dy fam di wedi bod i Dref Alaw ar y bws, Nick. Fe aeth hi o gwmpas y siopau i gyd yn chwilio am bethau blasus i Jessica. Rydyn ni'n ddiolchgar iawn iddi hi; roedd hi mor garedig."

Ddaeth Jessica ddim i'r ysgol am weddill yr wythnos. Bore dydd Sadwrn cododd hi o'r gwely am y tro cyntaf, ond roedd hi'n wan iawn. A fyddai hi'n ddigon cryf i sefyll yr arholiad ar ddechrau'r wythnos ganlynol? Doedd neb yn siŵr.

Tro Edmund Kelland oedd hi i helpu nawr. Galwodd e ar rieni Jessica brynhawn dydd Sul.

"Os bydd Jessica'n teimlo'n ddigon cryf i fynd i'r ysgol fory," meddai wrthyn nhw, "fe fydda i'n rhoi lifft iddi hi yn y car. Fe fydd hi'n gallu dod adref yn y car hefyd. Fydd hynny ddim yn broblem o gwbl."

Doedd Gareth a Julie Evans ddim yn gwybod beth i'w ddweud. Roedd y Kellands wedi bod mor garedig wrthyn nhw.

"Reit," meddai Edmund wrthyn nhw. "Tan bore fory, felly."

Pan gyrhaeddodd Jessica yr ysgol, roedd ei hwyneb hi fel y galchen, a phenderfynodd Miss Davies gadw llygad arni hi yn ystod yr arholiad. Ond aeth popeth yn iawn; cyn hir roedd y ferch wedi anghofio'r ffliw yn llwyr, ac roedd hi'n canolbwyntio ar y cwestiynau o'i blaen hi. Ond pan aeth hi adref ar ddiwedd y prynhawn yng nghar y Kellands roedd hi'n cysgu ar ei thraed. Aeth Edmund i mewn i'r tŷ gyda hi.

"Rhowch rywbeth i'w fwyta iddi hi, Julie," meddai e wrth fam y ferch. "Ac yna'n syth i'r gwely â hi. Mae hi wedi blino'n lân."

Roedd Gareth Evans yn sefyll wrth ochr ei wraig.

Roedd e wedi dod adref awr yn gynnar am ei fod e'n poeni am Jessica. Petrusodd e cyn siarad; roedd Edmund yn rheoli ffatri fwyaf y cwm, tra dim ond gyrrwr lorri oedd Gareth.

"Fe hoffwn i brynu peint i chi ryw noson," meddai Gareth. "Er mwyn diolch i chi am eich help."

Gwenodd Edmund Kelland yn llydan.

"Pam lai?" atebodd e. "Rydw i wedi setlo i lawr yn y ffatri, ac mae'r tywydd yn gwella. Fe fydda i'n edrych ymlaen at hynny, Gareth."

Roedd Nick wedi dod â'r papurau arholiad adref gyda fe, ac roedd e'n cofio llawer o'i atebion e. Ar ôl swper, tra oedd Shirley Kelland yn brysur yn y gegin yn gwneud teisen gyrens i Jessica Evans, aeth Nick a'i dad drwy'r papurau gyda'i gilydd. Ddywedodd Edmund ddim llawer ar y pryd, ond ar ôl i'r bachgen fynd i'r gwely, dywedodd Edmund wrth Shirley:

"Rwy'n meddwl ei fod e wedi gwneud yn dda. Mae e ar ei ffordd i'r ysgol ramadeg."

"Gobeithio dy fod di'n iawn, Edmund," atebodd ei wraig. "Ond beth am Jessica Evans …?"

14.

Chwarae teg i athrawon ysgol gynradd Blaencwm, roedd rhywbeth newydd yn digwydd yn yr ysgol bron bob wythnos. Ar ôl yr arholiad doedd plant dosbarth Miss Davies ddim yn gallu gorffwys ar eu rhwyfau o gwbl.

Aeth Milgi Jones o gwmpas y dosbarthiadau i gyd yn hysbysebu diwrnod mabolgampau Cwm Alaw, a gofyn i'r plant gystadlu yn erbyn plant yr ysgolion cynradd eraill ym mharc Tref Alaw.

Roedd Milgi wedi bod yn fabolgampwr da pan oedd e'n ifanc, ac roedd e'n edrych ymlaen at ddiwrnod y mabolgampau. Fe oedd yn hyfforddi tîm y bechgyn, tra oedd athrawes ifanc, Miss Rees, yn hyfforddi tîm y merched.

Roedd Nick Kelland yn rhedeg yn dda, ond doedd e ddim eisiau disgleirio ar y maes chwarae, a dyma pam: ers dydd Gŵyl Dewi roedd Dai Hughes a'i giang wedi gadael llonydd iddo fe. Doedd Nick ddim eisiau gwneud dim byd i'w digio nhw eto. Felly, pan drefnodd Milgi Jones rasys yn iard yr ysgol, roedd Nick yn hapus i ddod yn ail y tu ôl i Dai Hughes bob tro.

Ond doedd Milgi Jones ddim yn dwp; roedd e'n gallu gweld bod Nick Kelland yn rhedwr da, felly dewisodd e Nick i gynrychioli'r ysgol yn y ras gyfnewid gyda Cochyn, Tom, a Dai Hughes.

Cafodd Nick syndod i weld Rhodri'n eistedd yn sedd gefn un o'r bysys oedd yn mynd â'r plant i barc Tref Alaw ar ddiwrnod y mabolgampau. Doedd Rhodri ddim wedi bod yn yr ysgol ers diwedd tymor y Pasg.

"Shh …" meddai Rhodri wrtho fe. "Paid â dweud gair. Dydw i ddim eisiau i Milgi sylwi arna i."

Ond roedd yr athro yn llawer rhy brysur i sylwi ar y bachgen bach yng nghefn y bws. Roedd Milgi eisiau gwneud yn siŵr bod y plant i gyd ar y bws cyn i'r gyrrwr gychwyn am Dref Alaw.

Pan gyrhaeddon nhw y parc, roedd yn llawn o athrawon a phlant yn barod. Roedd hanner dwsin o ysgolion yn cymryd rhan, gan gynnwys ysgol gynradd Tref Alaw ei hun. Roedd hi'n ysgol llawer yn fwy na'r ysgolion eraill, a hi oedd yn ennill y cwpan arian bob blwyddyn, er bod yr ysgolion eraill yn cystadlu'n ffyrnig hefyd.

Treuliodd Nick ran fwyaf y diwrnod gyda Rhodri. Roedd Nick wedi dod â brechdanau i'r parc, ond doedd dim bwyd o gwbl gyda Rhodri, felly rhannodd Nick ei frechdanau gyda fe. O'r dechrau, aeth dim byd yn dda i ysgol fach Blaencwm. Daeth rhai o'r plant yn ail ac yn drydydd, ond enillon nhw ddim un ras o gwbl. Yna, tua diwedd y prynhawn, cyhoeddodd y corn siarad y byddai ras gyfnewid y bechgyn yn dechrau ymhen tri munud.

"Reit, 'mechgyn i," meddai Milgi Jones wrthyn nhw. "Mae popeth yn dibynnu arnoch chi. Fe fydd Elfed yn dechrau'r ras, fe fydd Tom yn rhedeg yn ail, Nick yn drydydd, a Dai Hughes yn olaf."

Roedd Nick yn teimlo'n nerfus, ond yn hyderus hefyd. Doedd e ddim yn mynd i adael yr ysgol i lawr. Clywodd y gwn a gwelodd e Cochyn yn cychwyn. Gwnaeth Cochyn yn dda, a phan roddodd e'r ffon i Tom Evans dim ond tîm Tref Alaw oedd o'u blaen nhw. Yna collodd Tom lathen neu ddwy. Pan dderbyniodd Nick y ffon, roedd dau redwr o'i flaen e, ond doedd e ddim yn poeni am hynny o gwbl.

"Edrychwch!" gwaeddodd Jessica Evans wrth ei

ffrindiau hi. "Mae Nick yn rhedeg fel y gwynt!"

Dechreuodd plant ysgol Blaencwm weiddi'n llawn cyffro. Aeth Nick heibio i un rhedwr, ac yna heibio i'r llall. Roedd Blaencwm ar y blaen!

Gwelodd Dai Hughes Nick yn dod. Roedd Dai'n teimlo'n nerfus hefyd. Roedd Nick yn agos nawr; dechreuodd Dai redeg – ond yn rhy gyflym, achos roedd Nick wedi blino erbyn hyn ac roedd e'n arafu bob eiliad.

"Arafa, Dai!" gwaeddodd Milgi Jones. "Arafa … rwyt ti'n mynd yn rhy gyflym!"

Ond doedd Dai Hughes ddim yn gallu clywed yr athro. Roedd pawb yn gwneud gormod o sŵn o'i gwmpas e. Roedd y timau eraill yn dechrau cyfnewid ffyn, ond roedd Dai wedi mynd yn rhy bell ymlaen. Gwelodd e'r ffon yn syrthio o law Nick Kelland, ac yna syrthiodd Nick i'r ddaear hefyd …

15.

"Dai, coda. Mae Rhodri mewn trwbwl."

Agorodd Nick ei lygaid. Roedd sŵn y corn siarad wedi peidio; roedd y mabolgampau wedi dod i ben. Trodd ei ben e a gweld Jessica Evans yn sefyll bum llathen i ffwrdd. Roedd hi'n siarad â Dai Hughes, oedd yn gorwedd ar y glaswellt o hyd, fel Nick.

"Beth sy'n bod arno fe?" gofynnodd Dai heb symud.

"Fe aeth e i'r toiled y tu ôl i'r pafiliwn," atebodd Jessica, "ond dydy e ddim wedi dod yn ôl. Rwy'n meddwl bod rhai o fechgyn Tref Alaw yn ei rwystro fe rhag dod yn ôl."

"Wel, beth alla i wneud?" gofynnodd Dai. "Ble mae dy frawd di?"

"Wn i ddim," atebodd y ferch. "Ar ei ffordd i'r bws, siŵr o fod, fel pawb arall. Ond yn y cyfamser, mae eisiau help ar Rhodri."

Cododd Nick Kelland ar ei draed.

"Fe af i, Jess," meddai e. "Fe ddaeth Rhodri gyda fi ar y bws."

Cododd Dai Hughes hefyd gan ochneidio, a dilyn Nick a Jessica i'r pafiliwn. Y tu ôl i'r adeilad roedd Rhodri'n sefyll yng nghanol grŵp o fechgyn. Fel arfer, roedd wyneb Rhodri'n llonydd er bod y bechgyn yn ceisio ei bryfocio fe.

Wrth lwc, roedd Nick yn nabod un o'r bechgyn, achos roedd y ddau ohonyn nhw'n mynd i'r un eglwys yn Nhref Alaw bob bore Sul.

"Hylô, Arthur," meddai e, gan symud trwy ganol y grŵp. "Diolch am ofalu am fy ffrind Rhodri, ond mae'n rhaid i ni ddal y bws nawr."

Gafaelodd e ym mraich Rhodri, ond pan drodd e'n ôl gwelodd fod bachgen mawr yn rhwystro'i ffordd e. Ond yna cymerodd Dai Hughes gam ymlaen a rhoi ei law ar ysgwydd y bachgen mawr.

"Gad iddyn nhw fynd," gorchmynnodd Dai heb godi ei lais. "Mae'n mynd yn hwyr."

Edrychodd y bachgen mawr o'i gwmpas, ond edrychodd ei ffrindiau i gyd i ffwrdd. Roedden nhw wedi cael sbort gyda'r bachgen bach o Flaencwm, ond doedden nhw ddim am wthio'r mater yn rhy bell achos roedd Nick a Dai'n edrych yn benderfynol iawn.

Ar eu ffordd yn ôl i fynedfa'r parc, dywedodd Nick wrth Dai Hughes:

"Diolch am dy help di, Dai."

Trodd Dai a gwenu arno'n swil.

"Doedd dim dewis 'da fi, Nick," meddai. "Roedd Jessica yn fy ngwthio i yn fy nghefn!"

Pan gyrhaeddon nhw'r lle parcio rocdd y bysys i gyd wedi mynd, a'r ceir hefyd. Ond roedd rhywun wedi gadael bocs mawr wrth glwyd y parc, ac aeth Rhodri i'w agor e.

"Beth wyt ti'n ei wneud, Rhodri?" gofynnodd Jessica. "Dydy'r bocs 'na ddim yn perthyn i ti."

"Rwy'n chwilio am frechdanau," atebodd y bachgen. "Mae eisiau bwyd arna i."

Agorodd e'r bocs a thynnu cwpan arian mawr allan.

"Cwpan y mabolgampau!" meddai Dai Hughes. "Mae prifathro ysgol gynradd Tref Alaw wedi'i anghofio fe. Beth ydyn ni'n mynd i'w wneud nawr?"

Tra oedd e'n siarad, daeth lorri agored i lawr y ffordd ac aros o flaen y glwyd. Roedd Gareth Evans yn eistedd y tu ôl i'r olwyn.

"Jessica," meddai e drwy'r ffenestr agored. "Beth ydych chi'n wneud yma ar eich pennau eich hunain – aros am fws?"

"Nage, Dad," atebodd hi. "Mae'r bysys i gyd wedi mynd."

"Wel, dere i mewn, 'te," meddai ei thad hi. "Mae lle i ti yn y cab, ac mae digon o le i'r bechgyn ar gefn y lorri."

"Rydyn ni wedi dod o hyd i focs, a chwpan arian ynddo," meddai Nick yn gyflym.

"Wel, mae swyddfa'r heddlu ym Mlaencwm," atebodd Gareth. "Gadewch i ni fynd â'r cwpan yno."

Pan gyrhaeddon nhw'r pentref, roedd y stryd fawr yn llawn o blant oedd newydd ddod oddi ar fws yr ysgol. Cawson nhw i gyd sioc pan welson nhw Nick a'r lleill yn cyrraedd ar gefn lorri'r Cyngor.

Yn sydyn cafodd Dai Hughes syniad; roedd e wedi gweld rownd derfynol Cwpan yr FA ar y Pathe News yn y sinema, ac roedd e wedi gweld capten y tîm buddugol yn codi'r cwpan arian i'r awyr ar ddiwedd y gêm. Tynnodd e'r cwpan o'r bocs a'i godi i'r awyr fel chwaraewr pêl-droed. Doedd plant yr ysgol erioed wedi gweld y cwpan 'na ym Mlaencwm o'r blaen.

"Hwrê," gwaeddon nhw. "Hwrê!"

Trodd Dai yn hael at Nick Kelland.

"Dy dro di nawr, Nick," meddai. "Ac yna tro Rhodri fydd hi."

Yn y cab trodd Jessica at ei thad hi.

"Diolch yn fawr, Dad," meddai hi. "Doeddwn i ddim yn edrych ymlaen at gerdded yr holl ffordd adref."

Ond roedd ei thad hi'n gwrando ar yr "hwrês" yn y stryd.

"Does dim rhaid i ti ddiolch i fi, Jess," atebodd e. "Dydw i erioed wedi bod mor boblogaidd â hyn o'r blaen …!"

16.

Daeth canlyniadau'r arholiad hollbwysig allan ar ddydd
Llun cyntaf mis Mehefin. Cafodd Mr Lewis y prifathro
lythyr oddi wrth yr Awdurdod Addysg yn y post cyntaf.
Roedd e'n mynd i gyhoeddi'r canlyniadau i'r plant yn
ystod y cyfarfod boreol yn neuadd yr ysgol.

Pan aeth Nick a phlant eraill dosbarth Miss Davies i
mewn i'r neuadd, roedd eu calonnau nhw'n curo fel
drymiau. Roedd Miss Davies yn tcimlo'n nerfus hefyd,
achos roedd hi wedi gweithio'n galed iawn gyda'r
dosbarth trwy'r flwyddyn. Canodd y plant emyn tra
oedden nhw'n disgwyl i'r prifathro ymddangos, ond
roedd Mr Lewis yn hwyr iawn. Ble ar y ddaear oedd e?
Beth oedd yn digwydd?

O'r diwedd daeth Mr Lewis i mewn i'r neuadd. Doedd
e ddim yn edrych yn hapus. Oedd y canlyniadau'n wael?

"Mae'n ddrwg gen i," meddai mewn llais uchel. "Cyn
i fi sôn am yr arholiad, mae'n rhaid i fi sôn am fater arall.
Fe ffoniodd yr heddlu yr ysgol gynnau fach. Y bore 'ma
fe aeth swyddog y Cyngor i dŷ Rhodri Rees yn Heol Las.
Fel rydych chi'n gwybod, dydy Rhodri ddim yn dod i'r
ysgol yn aml, ac roedd y swyddog 'na yn chwilio am
esboniad. Yn anffodus, fe redodd Rhodri i ffwrdd drwy
ddrws cefn y tŷ, a does neb yn gwybod ble mae e wedi
mynd. Os oes unrhyw un ohonoch chi'n gwybod ble mae
Rhodri Rees nawr, dywedwch wrtha i neu wrth un o'r
athrawon, os gwelwch yn dda."

Gwrandawodd y plant arno fe mewn distawrwydd;

doedd neb yn gwybod lle roedd Rhodri wedi mynd. Yna tynnodd y prifathro ddarn o bapur o'i boced e.

"Dyma newyddion gwell i chi," meddai e. "Mae dosbarth Miss Davies wedi gwneud yn well nag arfer yn yr arholiad eleni. Dyma enwau'r plant fydd yn mynd i'r ysgol ramadeg ym mis Medi."

Darllenodd e'r rhestr mewn llais clir. Pan roddodd y papur i lawr, doedd e ddim wedi sôn am Nick na Jessica o gwbl.

"O, roeddwn i wedi anghofio am Nick Kelland," meddai Mr Lewis. "Wel, mae Nick wedi torri record bechgyn yr ysgol 'ma. Fe ddaeth e'n bumed yn y cwm. Llongyfarchiadau, Nick."

Roedd pawb yn edrych ar y bachgen o Wlad yr Haf, ond roedd Nick yn edrych yn ddifrifol iawn. Roedd e'n meddwl am Jessica Evans. Oedd hi wedi colli ei lle yn yr ysgol ramadeg trwy fod yn sâl cyn yr arholiad? Ond roedd Mr Lewis yn darllen meddwl y bachgen.

"Paid â phoeni, Nick," meddai gan wenu'n llydan. "Mae dy ffrind Jessica wedi gwneud yn dda hefyd. Fe gafodd hi'r trydydd lle yn yr arholiad – record arall i ysgol gynradd Blaencwm!"

Fel arfer roedd Nick a Jessica'n aros yn yr ysgol amser cinio; roedd Jessica'n bwyta yn y cantîn, ac roedd Nick yn bwyta brechdanau yn yr ystafell ddosbarth. Ond y diwrnod yna penderfynon nhw fynd adref ar ddiwedd y bore a rhoi'r newyddion i Shirley Kelland a Julie Evans. Am hanner awr wedi deuddeg roedd Shirley yn curo ar ddrws teulu Evans yn Stryd Alma.

"Gaf i ddod i mewn?" gofynnodd hi.

"Cewch, wrth gwrs," meddai Julie, oedd yn gwenu'n hapus.

"Rwy'n dod i longyfarch Jessica," meddai Shirley. "Mae hi wedi gwneud yn ardderchog, ac roedd hi mor sâl cyn yr arholiad."

"Rwy'n gwybod," meddai Julie. "Ond beth am dy fab di – newydd yn yr ardal, ac wedi dod yn bumed yn y cwm?"

"Rydw i newydd ffonio Edmund yn y ffatri," meddai Shirley. "Mae e wrth ei fodd. Mae e'n gwahodd Jessica, Tom a Cochyn i ddod gyda ni i'r sinema yn Nhref Alaw heno i ddathlu llwyddiant Nick a Jessica."

"O, maen nhw'n dangos *The African Queen* yr wythnos 'ma," meddai Jessica. "Rwy'n siŵr y bydd Tom a Cochyn eisiau dod gyda ni. Diolch, Mrs Kelland."

Ond pan aeth Nick yn ôl i'r ysgol yn y prynhawn a sôn am y gwahoddiad wrth Tom a Cochyn, cafodd e siom.

"Dim diolch," atebodd Tom. "Rydyn ni'n mynd i bysgota heno."

Rydych chi'n gallu pysgota unrhyw noson, meddyliodd Nick, ond ddywedodd e ddim byd. Yna, pan agorodd e ei ddesg ar ddechrau gwers gyntaf y prynhawn, gwelodd e fod ei frechdanau wedi diflannu ...

Beth bynnag, cafodd Nick a Jessica a rhieni Nick noson hyfryd yn Nhref Alaw. Ond roedd y brechdanau coll ar feddwl Nick, a siaradodd e amdanyn nhw â'r ferch yn ystod y ffilm. Oedd Jessica'n gwybod pwy oedd wedi'u dwyn nhw?

"Tom," atebodd hi gan sibrwd.

"Tom," meddai Nick yn syn. " Ond pam?"

"Mae Tom yn meddwl bod Rhodri wedi mynd i'n cuddfan ni ar y mynydd," eglurodd Jessica. "Mae Tom a Cochyn yn mynd â'r brechdanau iddo fe heno. Dyna pam ddaethon nhw ddim i'r sinema gyda ni."

"O, rwy'n deall popeth nawr," meddai Nick. Roedd e'n teimlo'n hapusach yn barod, a throdd e ei sylw yn ôl at y ffilm. Ond ymhen rhai munudau roedd e'n poeni am rywbeth arall. Oedd Rhodri wedi cymryd y ffordd hir, ddiogel i'r guddfan, neu oedd e wedi mynd yno dros y creigiau peryglus?

Ar ôl y sioe, tra oedden nhw'n gyrru adref, gofynnodd Nick i'w dad:

"Ydyn ni'n mynd trwy Heol Las ar y ffordd adref, Dad?"

"Nac ydyn," atebodd Edmund. "Rydyn ni'n mynd i gymryd y ffordd fawr. Pam?"

"O, dim byd, Dad," meddai'r bachgen yn dawel. "Dim byd o gwbl."

Pan ddringodd Rover y Kellands Stryd Alma tua hanner awr wedi deg a stopio o flaen drws teulu Evans, gwelodd Jessica ei mam hi a Bopa Siân yn sefyll ar y trothwy. Roedd Bopa Siân yn siglo Rebecca yn ei breichiau. Daeth pawb allan o'r car.

"Ydych chi wedi clywed y newyddion?" gofynnodd Julie iddyn nhw. Roedd ganddi hi ddagrau yn ei llygaid.

"Pa newyddion?" gofynnodd Edmund.

"Fe aeth Tom a Cochyn i ymweld â rhyw guddfan ar y

mynydd heno," meddai Julie. "Ar y ffordd roedd rhan o'r llwybr wedi torri i ffwrdd. Pan edrychon nhw i lawr fe welson nhw gorff yn gorwedd ar waelod y clogwyn. Fe lwyddon nhw i ddringo i lawr at fe. Corff Rhodri Rees oedd e; roedd … roedd e wedi marw."

"O, mae hynny'n ofnadwy!" meddai Shirley Kelland gan godi ei llaw at ei cheg.

"Ble mae Tom nawr?" gofynnodd Edmund.

"Yn swyddfa'r heddlu gyda'i dad a Cochyn," meddai Bopa Siân. "Fe redodd y bechgyn yr holl ffordd yn ôl i ddweud y stori wrth Gareth a Julie. Fe aeth Gareth â nhw'n syth i weld Sarsiant Jenkins. Dydyn nhw ddim wedi dod yn ôl eto."

Ddywedodd neb air am funud. Roedden nhw i gyd wedi cael sioc.

"Fe ddywedodd Cochyn rywbeth rhyfedd tra oedden nhw'n aros i Gareth wisgo'i sgidiau," meddai Julie'n sydyn. "Fe ddywedodd e 'Mae Rhodri'n rhydd nawr'."

Dechreuodd Jessica wylo'n dawel, ac roedd gan Nick lwmp yn ei wddf.

Yna, yn sydyn, glaniodd aderyn bach du ar y wal wrth ochr y tŷ, a dechrau canu fel pe bai e'n ceisio tynnu sylw'r bobl o'i gwmpas e. Trodd Nick at Jessica, ond roedd y ferch yn sefyll fel delw yn gwrando ar gân yr aderyn. Yna, pan drodd eto, gwelodd Nick fod Jessica'n gwenu trwy ei dagrau.

Storïau Bob Eynon
o Wasg y Dref Wen

I BOB OEDRAN

Ffug-wyddonol
Y Blaned Ddur

Antur a Rhamant (gyda geirfa)
Y Ferch o Berlin *
Y Bradwr *
Bedd y Dyn Gwyn *
Lladd Akamuro

Gorllewin Gwyllt (gyda geirfa)
Y Gŵr o Phoenix *

Dirgelwch: Cyfres Debra Craig (gyda geirfa)
Perygl yn Sbaen
Y Giangster Coll
Marwolaeth heb Ddagrau

Yng Nghyfres Llinynau
Y Giang

I BOBL IFANC
(gyda lluniau du-a-gwyn)
Dol Rhydian
Yr Asiant Cudd
Crockett yn Achub y Dydd
Trip yr Ysgol
Yn Nwylo Terfysgwyr
Castell Draciwla
Arian am Ddim

* hefyd ar gael ar gasét yng nghyfres
LLYFRAU LLAFAR Y DREF WEN